LIVELLO 2 · A1/A2
1000 parole

LA ROSSA

Giovanni Ducci

Questo libro è dedicato alla gente dell'Emilia Romagna,
la terra più bella del mondo.

Letture Italiano Facile

direzione editoriale: Massimo Naddeo
redazione: Chiara Sandri
progetto grafico e copertina: Lucia Cesarone
impaginazione: Gabriel de Banos
illustrazioni: Giampiero Wallnofer

© 2015 ALMA Edizioni
Printed in Italy
ISBN 978-88–6182–370–9
prima edizione: marzo 2015

ALMA Edizioni
viale dei Cadorna 44
50129 Firenze
tel. +39 055 476644
fax +39 055 473531
alma@almaedizioni.it
www.almaedizioni.it

audio on line su
www.almaedizioni.it/italiano-facile

INDICE

La rossa _____ pagina 4

Schede culturali _____ pagina 38

Esercizi _____ pagina 40

Soluzioni _____ pagina 63

PERSONAGGI

L'Ingegnere

Monika

Caterina (Piadina)
la segretaria

Arturo (Squacquerone)
il capo meccanico

Giacomo (Tortellino)
il test driver

1. L'Ingegnere

traccia 1

Modena, in Emilia Romagna, 1968. In una grande stanza ci sono circa cinquanta giornalisti. Sono seduti e aspettano.

Entra un uomo, ha circa settant'anni; ha i capelli bianchi e gli occhiali neri. Tutti fanno silenzio.

– Buongiorno, signore e signori. Posso avere la vostra attenzione, per favore? – dice l'uomo – Ho una domanda per voi. Chi vuole guidare una rossa?

– Una rossa? – domanda qualcuno.

– Sì, una macchina da corsa, rossa, una Formula 1.

– E perché, scusi? Noi siamo giornalisti, non piloti .

– Perché qualche volta voi scrivete male di me e delle mie macchine e questo non mi piace.

– Ma anche lei è stato un giornalista.

– Sì, ma io ho sempre scritto la verità. Allora, chi vuole guidare una rossa deve venire a Fiorano. È una grande occasione per conoscere le nostre macchine e le persone che lavorano per noi. Per oggi è tutto.

– Un momento, scusi. Questa è una conferenza stampa, abbiamo tante domande e Lei deve rispondere!

– Venite a Fiorano a fare le domande. Arrivederci, buona giornata e buon lavoro.   -

---

note ◄

occhiali

guidare • condurre un'automobile *Guidare una Ferrari è molto difficile.*

macchina da corsa
piloti

Fiorano • pista ufficiale per i test della Ferrari

conferenza stampa • incontro con i giornalisti *Nella conferenza stampa il primo ministro ha parlato della crisi economica.*

L'uomo con gli occhiali neri esce. Una donna dai capelli rossi domanda a un giornalista vicino a lei:

– Scusi, quello chi è?
– Quello? È il papà di quelle macchine rosse che corrono a più di 300 km/h.
– L'Ingegnere?
– Sì, esatto, l'Ingegnere. Le sue macchine sono le più belle e le più veloci del mondo.
– Ah, è lui. Interessante.

fai gli ESERCIZI
vai a pagina 40

2. La rossa

traccia 2

Il giorno dopo, sulla pista di Fiorano. L'uomo con gli occhiali neri ha un cronometro in mano. Sta guardando una macchina rossa che corre veloce.
Poco dopo arriva la donna dai capelli rossi. È alta, bella e molto elegante.

– È veloce, eh? – domanda la donna.
– Veloce? Può andare molto più veloce. – risponde l'uomo con gli occhiali neri.
– Vero, è un grande pilota.
– Ma io non parlo del pilota, parlo della rossa! È una grande macchina.
– Ah, la macchina... Ma perché è rossa?
– È rossa come il fuoco. Questa macchina ha il fuoco dentro. Ma scusi, signorina: Lei chi è?

▸ note

pista

cronometro • **strumento** per misurare il tempo

fuoco

– Mi chiamo Monika, Monika Wolf.

– Non è italiana?

– No, sono di madre inglese e padre tedesco.

– È una giornalista?

– Sì.

– Di quale giornale?

– *Donne e Motori*. È un giornale di Milano.

– Non lo conosco. Allora Lei è qui per fare il test? È già andata da Caterina, la mia segretaria?

– Sì, e devo dire che è molto gentile e simpatica. Caterina mi ha detto di venire qui.

– Bene, molto bene. Allora, signorina Wolf, è pronta per questa esperienza?

– Credo di sì...

– È sicura?

– Sì, ma perché mi fa questa domanda?

– Perché questa non è una macchina come le altre. Si guida con i piedi, con le mani, con il cuore e la testa. Andiamo ai box. Le voglio presentare una persona.

fai gli ESERCIZI
vai a pagina 41

3. Arturo, detto Squacquerone

L'Ingegnere e Monika Wolf entrano nei box. Ci sono molti uomini che lavorano.

– Signorina, vede quel signore con la tuta rossa? Lui è Squacquerone.
– Squac..? Come scusi?
– Squacquerone! È il soprannome di Arturo, il nostro capo meccanico.
– Ma che significa Squacquerone?
– È un formaggio dell'Emilia Romagna: un formaggio dolce e delicato.
– E Arturo è dolce e delicato?
– No, è il contrario. Qui in Emilia Romagna noi usiamo molto i soprannomi perché ci piace scherzare. E qui alla Ferrari siamo come una famiglia.

Arturo sta parlando con un uomo: è Giacomino, il test driver. I due gridano.

– Hai la testa dura, *boia d'un mond làder*!
– *Tie un articioc*!
– Ma che lingua parlano? – domanda la donna, curiosa.
– Il dialetto emiliano–romagnolo. Parlano in dialetto perché sono arrabbiati .
– Ah interessante! Ma sembra inglese.
– Oh, è più simile al tedesco. Arturo ha detto a Giacomino: "articioc", sei un carciofo.

▶ note

tuta

soprannome • nome divertente che si dà a una persona *Il suo nome è Gino Cerutti, ma tutti lo chiamano "Drago".*

capo meccanico • la persona che comanda i meccanici di una squadra *Dopo dieci anni di lavoro come meccanico, sono diventato capo meccanico.*

delicato • leggero, non forte *Io non mangio cibi piccanti, questo piatto mi piace perché è delicato.*

carciofo •

– Sì, è vero, in tedesco è uguale.
– Sì, ma forse in italiano si dice con più passione.

La discussione continua.

– Forse non è il momento giusto per fare il test adesso. Sono
arrabbiati. – dice Monika.
– Non è un problema. Ogni giorno fanno così, ma sono due
bravissime persone. Vede? Adesso sono calmi, è tutto ok. Noi siamo
come una famiglia: discutiamo, ci arrabbiamo, ma alla fine andiamo
tutti insieme al bar a prendere un aperitivo. Ora devo andare, La
lascio con Arturo, per il test. A dopo.

fai gli ESERCIZI
vai a pagina 42

4. In bocca al lupo!

Arturo, il capo meccanico con la tuta rossa, saluta la donna con un
sorriso.

traccia 4

– Salve. Io sono Arturo, il capo meccanico. Scusi, non Le do la mano,
ho le mani sporche.
– Piacere, Monika Wolf.
– Benvenuta alla Ferrari, signorina. In quella stanza può cambiarsi i
vestiti. Lì dentro ci sono i guanti, il casco e anche le scarpe, ma non
hanno il tacco alto, eh!

▸ note _____

aperitivo • cocktail alcolico o analcolico,
che si beve prima di pranzo o di cena
Prendiamo un aperitivo al bar, offro io!

sorriso

sporche • non pulite *Devo lavare le
camicie sporche.*

guanti    casco

tacco alto

– Signor Arturo, io non sono una modella, sono una giornalista. E poi io sono già alta, non uso mai scarpe con il tacco alto.
– Sì certo, lo so... Quando ha finito, Le do qualche consiglio tecnico sulla macchina.
– Bene, grazie.

Monika va a cambiarsi e in pochi minuti è pronta.

– È già pronta, signorina? Di solito le donne hanno bisogno di due ore per cambiarsi.
– Ah ah, non è divertente!
– Va bene, scusi. Ha domande?
– Senta Arturo, qui c'è un sistema antincendio?
– Un sistema antincendio? Perché?
– C'è o non c'è?
– Certo che c'è! Qui abbiamo tutto, siamo alla Ferrari. Allora, è pronta?
– Sì. Le chiavi sono dentro?
– Le chiavi? Ah ah ah! Questa macchina si accende senza chiavi, non lo sa? – dice Arturo con un sorriso.
– Ehm, sì. Lo so, lo so.
– Allora "in bocca al lupo". Sa cosa significa?
– Sì, certo. È la prima cosa che ho imparato qui in Italia, è un modo di dire, come "buona fortuna".
– Giusto. E Lei cosa deve rispondere?
– Crepi!

fai gli ESERCIZI
vai a pagina 44

---

note ◂

divertente • piacevole, che fa ridere *Il clown di questo circo è molto divertente.*
sistema antincendio • sistema di protezione contro il fuoco *Il sistema antincendio dell'albergo si è attivato perché il cliente della stanza 27 ha acceso una sigaretta.*

chiavi

5. Il test

traccia 5

Monika entra nella macchina. Lo spazio per il pilota è molto piccolo. Non è facile trovare la giusta posizione. Il capo meccanico aiuta la donna.

– Come va? – domanda Arturo.
– Male. Sto scomoda e non vedo bene. Come posso guidare in questa posizione?
– È la posizione migliore. È emozionata?
– Sì, il mio cuore batte forte.
– Anche il mio.
– Ma Lei non deve guidare.
– Sì, ma io mi emoziono sempre quando vedo una Ferrari. Allora, signorina, adesso le gomme sono fredde, deve andare piano piano. Ma fra 5 minuti, con le gomme calde, "deve" correre. Questa macchina deve andare veloce. Chiaro?
– Certo, certo. Devo andare veloce.
– Sì, ma non in curva. In curva deve rallentare la velocità.
– Ho capito. In curva devo andare più piano.
– Sì, ma non troppo, perché la macchina si ferma. Signorina, il freno non è quello a destra, eh!

▶ note

scomoda • non comoda, in una posizione difficile *Questa sedia è scomoda.*
emozionata • piena di emozione *È la prima volta che parlo in TV, sono emozionata.*
batte (inf. battere) • riproduce un suono ritmico *Ho fatto cinque piani di scale a piedi, ora il cuore mi batte forte.*

gomme

curva

rallentare • andare più lentamente *Rallenta! Stai andando troppo veloce.*
freno • serve per rallentare e fermare una macchina *Per fermare la macchina uso il freno.*

– Non sono così stupida, signor Squacquerone. Quanti giri devo fare? Trenta?

– Ah ah! – ride il capo meccanico. – Trenta giri sono troppi.

– Dieci?

– Anche dieci sono troppi. Ora deve pensare ad accendere la macchina e partire. Perché è la cosa più difficile.

– Va bene, proviamo.

Monika accende la macchina. Il motore fa molto rumore ma si spegne subito.

– Proviamo ancora. – dice il capo meccanico.

Monika accende di nuovo il motore. La macchina non si muove. All'improvviso un rumore fortissimo... BANG!!!

– Ma cosa ha fatto signorina Wolf? – grida Arturo – Ha bruciato il motore!

La donna scende dalla macchina.

– Mi dispiace molto, Arturo, ma è veramente difficile. Posso fare una telefonata? Vorrei chiamare il mio giornale.

– Va bene, andiamo al telefono. Adesso capisco perché mi ha domandato se c'è il sistema antincendio.

fai gli ESERCIZI
vai a pagina 45

---

note ◄

motore • la parte di una macchina che produce l'energia per il movimento

ha bruciato (inf. bruciare) • ha distrutto con il fuoco *Ha bruciato la pizza perché l'ha lasciata in forno troppo tempo!*

6. La telefonata

Arturo accompagna la donna in un ufficio. C'è un tavolo, una sedia e un telefono rosso.

– Ecco. Può usare questo telefono. Deve chiamare in Italia?
– Sì, a Milano. Devo chiamare *Donne e Motori*.

Monika si siede e Arturo esce ad aspettare fuori. L'uomo sente la voce della donna che parla in inglese, ma capisce solo le ultime parole della conversazione: *"goodnight Mr. Ford, goodnight!"*.
La telefonata è finita, ma Monika non esce. Arturo aspetta qualche minuto, poi entra nell'ufficio. Monika ha una macchina fotografica in mano.

– Ma cosa fa? Qui è vietato fare fotografie!
– Sono per il mio giornale...
– Non è possibile, mi dispiace. L'Ingegnere non vuole. Noi abbiamo molti concorrenti, e tutti vogliono conoscere i segreti della Ferrari.
– Sì, capisco. Mi scusi.
– Andiamo dall'Ingegnere.

Arturo è arrabbiato. Questa donna è un po' strana. E fa delle cose che ad Arturo non piacciono: brucia i motori, fa fotografie... Ma è anche molto bella, e ad Arturo piacciono le belle donne...
Quando Arturo e Monika entrano nell'ufficio dell'Ingegnere, l'uomo con gli occhiali neri è seduto alla sua scrivania.

▶ note

vietato • proibito, non permesso
*Negli uffici pubblici
è vietato fumare.*

concorrenti • rivali, competitori *Samsung
e Apple sono concorrenti nel mercato
dell'elettronica.*
scrivania • tavolo per scrivere *Il computer è
sulla scrivania.*

– Allora, come è andato il test, signorina Wolf?

– Male. – dice Monika. – Ho bruciato il motore.

– Anch'io la prima volta ho bruciato un motore. Le posso offrire un bicchiere di prosecco, signorina?

– Un prosecco? Ma veramente non c'è niente da festeggiare.

– Ma noi non beviamo solo per le feste, ma anche per il piacere. La vita è difficile, no? Comunque domani mattina può fare un altro test.

– Un altro?

– Certo. Lei è qui per sentire un'emozione forte e per fare un'esperienza bellissima, così poi può scrivere la verità sul Suo giornale. Ci vediamo domani mattina. Buona giornata signorina Wolf.

fai gli ESERCIZI
vai a pagina 47

7. Di nuovo in pista

traccia 7

Il giorno dopo, di mattina presto, l'Ingegnere è sulla pista con il cronometro in mano e guarda il suo pilota ufficiale che corre. Arriva Monika, ma questa volta l'uomo con gli occhiali neri comincia a parlare per primo.

– È in ritardo.

– A me sembra velocissimo. – dice Monika.

– Non sto parlando del mio pilota, ma di Lei, signorina.

– Mi dispiace, ma sono venuta con una Fiat 500, non con una Ferrari.

– La Fiat 500 è una grande macchina, deve avere rispetto.

– Sì, mi scusi.

– È pronta per guidare "la rossa"?

---

note ◄

festeggiare • fare una festa, celebrare *A dicembre io e mia moglie facciamo un viaggio per festeggiare dieci anni di matrimonio.*

– Sì. Viene anche Lei?
– Io ho molte cose da fare. Per il test c'è Arturo.
– Però io mi sento meglio con Lei.
– Perché? Cosa c'è che non va con Arturo?

Monika non risponde.

– Ho capito. Quando Squacquerone vede una "rossa" non capisce più
niente.
– Quando vede una Ferrari?
– No. Una donna rossa come Lei. Quando Arturo fa così, vuol dire che
è innamorato.
– Innamorato? Di chi?
– Di Lei. Devo dire che Lei è molto affascinante, signorina.
– Grazie! Lei è molto gentile.
– Andiamo a fare il test. Sono curioso di vedere se "due rosse" vanno
d'accordo.

fai gli ESERCIZI
vai a pagina 48

8. La giornalista

Pochi minuti dopo, Monika è pronta per il test. Si mette il casco ed entra
in macchina per la seconda volta. Arturo, il capo meccanico, è vicino alla
donna:

traccia 8

– Signorina, è pronta?
– Sì, ho solo una domanda: qui avete tutti un'assicurazione sulla vita?

▶ note ───────────────────────────────────

affascinante • attraente, sexy *La nuova fidanzata di Ugo è molto affascinante.*
assicurazione sulla vita • contratto per ricevere soldi quando una persona muore
per incidente o malattia *Dopo la sua morte la famiglia ha ricevuto i soldi della sua
assicurazione sulla vita.*

– Un'assicurazione sulla vita? Ma perché fa tutte queste domande? Ora deve pensare ad accendere il motore e partire!

Monika accende il motore e mette la prima marcia. Questa volta la macchina si muove, poi Monika mette la seconda, la terza e anche la quarta e la quinta, ma alla seconda curva la macchina esce di pista. Anche questo test è finito. Monika torna nei box dove l'aspetta l'uomo con gli occhiali neri.

– È troppo difficile! Non posso guidare questa macchina. – dice Monika.
– No, è stata brava. – risponde l'Ingegnere.
– Come? Sono stata brava?
– Sì. Come giornalista sì. Ha fatto la prima curva in quarta marcia, senza frenare. Ha avuto coraggio.
– Veramente?
– È stata brava, signorina Wolf, bravissima.
– Grazie. È stata una grande emozione.
– Bene. E adesso cosa scriverà sul Suo giornale?
– Non lo so, io ho tante domande per Lei. Dobbiamo fare un'intervista.
– Sì certo. Ma non oggi. Possiamo vederci domani a mezzogiorno? Va bene?
– D'accordo, ci vediamo domani.

L'Ingegnere e Monika si salutano. All'Ingegnere questa donna piace. Non solo perché è molto bella, ma anche perché è coraggiosa, non ha paura di sbagliare. E poi è rossa, come le sue macchine...
L'Ingegnere torna nel suo ufficio. Davanti alla porta c'è un'altra donna.

---

prima marcia • posizione per la partenza nella macchine con il cambio di velocità manuale

coraggio • il contrario di "paura" *Quell'uomo ha molto coraggio, non ha paura di niente.*

intervista • serie di domande *Il giornalista ha incontrato l'attore americano Brad Pitt per fare un'intervista sul suo nuovo film.*

– Buongiorno, mi chiamo Susanna Pestalozzi, sono una giornalista di *Motori e Donne*. Sono venuta per il test.
– Quale test?
– Il test con la Ferrari di F1. Alla conferenza stampa ha detto che noi giornalisti possiamo venire qui...
– Come si chiama il suo giornale? *Donne e Motori*?
– No, *Motori e Donne*. *Donne e Motori* non esiste più da un anno.
– È sicura?
– Sicurissima.
– È molto strano, perché qui è venuta una giornalista che ha detto di lavorare per *Donne e Motori*. Comunque oggi non abbiamo una macchina per Lei. Mi dispiace, ma deve tornare.

L'Ingegnere saluta la donna. Entra nel suo ufficio. Si siede alla sua scrivania. Pensa a quello che gli ha detto la giornalista: il giornale *Donne e Motori* non esiste più. Ma allora, chi è veramente Monika?

fai gli ESERCIZI
vai a pagina 49

9. L'intervista

Il giorno dopo, a mezzogiorno, Monika Wolf è davanti all'ufficio dell'Ingegnere. È vestita in modo sexy, con un abito rosso ed un paio di scarpe rosso fuoco.

traccia 9

– Posso vedere l'Ingegnere? – chiede Monika a Caterina, la segretaria.
– Certo, solo un momento.

La segretaria si alza ed entra nella stanza dell'Ingegnere.

▶ note

abito

Monika rimane sola. Prende la sua macchina fotografica e comincia a fare delle foto. Dopo un minuto Caterina ritorna. Allora Monika mette subito la macchina nella sua borsa.

– Signorina, può entrare. L'Ingegnere La sta aspettando.
– Grazie Caterina, Lei è molto gentile.

Monika entra nell'ufficio dell'Ingegnere. L'uomo con gli occhiali neri è seduto alla sua scrivania.

– Buongiorno, Ingegnere.
– Buongiorno signorina Wolf. Come è elegante!
– Sì, è il vestito giusto per parlare.
– Per parlare? Di che cosa?
– Ma come, non ricorda? L'intervista!
– Ah, sì, certo, l'intervista... Ma ora io sto andando a mangiare. Possiamo parlare a pranzo.
– Capisco, per voi italiani mangiare è importante.
– Sì, è molto importante. Mangiamo insieme, così possiamo parlare meglio. (better)
– Va bene, prendiamo la macchina?
– No. Andiamo al ristorante della Ferrari. È qui. Io mangio sempre insieme ai miei operai. Qui alla Ferrari siamo tutti uguali.

fai gli ESERCIZI
vai a pagina 50

▶ note ────────────────────────────────────

operai • persone che lavorano alla produzione *Alla FIAT di Torino lavorano 5400 operai.*

10. A pranzo con l'Ingegnere

Pochi minuti dopo l'Ingegnere e Monika entrano nel ristorante e ordinano un tipico piatto emiliano: tortellini con formaggio Parmigiano e una bottiglia di Lambrusco, un vino rosso.

– Mi dica la verità, signorina Wolf: Lei non è una giornalista, vero?

Monika resta in silenzio. Non risponde. L'Ingegnere continua:

– Ieri è venuta una giornalista del giornale *Motori e Donne* e mi ha detto che *Donne e Motori* non esiste più. È strano, no?
– No, non è strano. Quella donna dice la verità.
– Allora Lei signorina mi ha detto una bugia.
– Sì, Le ho detto una bugia: non sono una giornalista. Mi scusi tanto.
– Ma perché? Cosa è venuta a fare qui? Cosa vuole da me?
– Beh... La verità è che io... voglio diventare pilota.
– Cosa ha detto?
– Voglio diventare una donna pilota.

L'Ingegnere beve un bicchiere di vino. Resta in silenzio. Monika lo guarda con i suoi bellissimi occhi verdi.

– Ingegnere, è arrabbiato con me?
– Ma no...
– Che dice? Ho qualche possibilità? Io sogno di diventare una pilota della Ferrari!
– Questo è impossibile.
– Ma Lei mi ha detto che sono stata brava...
– Signorina Wolf, la prima cosa che Lei deve imparare è avere pazienza. Vede questa piccola bottiglia?
– Che cos'è? Vino?

---

note ◄

tortellini • tipica pasta ripiena di carne

bugia • il contrario di "verità" *Quando Pinocchio dice una bugia, il suo naso si allunga.*

– No, è aceto balsamico di Modena.

– Ah è buonissimo sull'insalata.

– L'aceto balsamico dà gusto a tanti cibi, non solo all'insalata. Lo sa quanto tempo ci vuole per fare una bottiglia come questa? Dodici anni.

– Dodici anni? Per fare una bottiglia così piccola?

– Sì. Dodici anni.

– Ho capito cosa vuole dire, Ingegnere, ma io non posso aspettare dodici anni per diventare pilota! Vorrei guidare una Ferrari e imparare come si lavora nella squadra migliore del mondo.

– E secondo Lei perché devo accettare, Monika?

– Prima di tutto perché io sono come Lei, so quello che voglio e sono piena di passione.

– Questo è vero, ma non basta.

– E poi perché anche Lei ha cominciato come pilota.

– Giusto.

– E infine: perché io sono rossa come la Ferrari. E anche come questo buonissimo Lambrusco...

L'Ingegnere sorride, beve un bicchiere di vino e poi dice:

– Senta, Monika, Lei mi ha detto una bugia, ma devo dire che mi è simpatica.

– Grazie! Allora è vero che non è arrabbiato con me. – dice Monica.

– Sì, quando bevo un buon vino non mi arrabbio mai. Ora andiamo a vedere un posto incredibile.

– Un posto incredibile? Cosa vuol dire?

– Andiamo a vedere come nasce una "rossa". Andiamo a piedi, è vicino e dopo pranzo fare una passeggiata fa bene.

fai gli ESERCIZI
vai a pagina 52

▸ note

aceto

ci vuole • è necessario *Per fare il pane ci vuole la farina, per fare il vino ci vuole l'uva.*

passeggiata • percorso a piedi *Ho studiato tutto il giorno, devo muovermi: andiamo a fare una passeggiata?*

11. La Formula Uomo

traccia 11

I due camminano per circa trenta minuti e arrivano alla fabbrica della Ferrari. Ci sono tanti operai che lavorano. Qui ogni parte della macchina è prodotta con alta tecnologia.

– Che bello. – dice Monika – Questi operai sembrano tutti molto felici di lavorare qui.
– Sì, è così. Un uomo lavora meglio quando è felice. Vita di qualità significa macchine di qualità. Alla Ferrari tutti sono contenti, è la nostra filosofia, si chiama Formula Uomo.
– Formula Uomo o Formula Uno?
– Formula Uomo. Chi lavora qui può fare sport, visite mediche specialistiche e anche corsi di lingue.
– Che bello!
– Vede? Intorno alla fabbrica c'è tantissimo verde, alberi, natura... E non ci sono rumori, tutto è silenzioso e rilassante.
– Il motore non è silenzioso, è rumoroso.
– Quello non è rumore, il rumore di un motore Ferrari è come una musica.

L'Ingegnere resta qualche secondo in silenzio. Forse pensa qualcosa... Poi finalmente parla.

– Senta Monika, Le voglio dire una cosa: ho deciso che può venire a fare esperienza qui da noi.
– Davvero? Fantastico!
– Sì... e se dobbiamo lavorare insieme, dobbiamo darci del tu.
– Sì, volentieri. Lei è molto gentile, ehm... tu sei molto gentile. È

---

note ◄

fabbrica • industria, spazio di produzione *La fabbrica Moretti produce birra dal 1859.*

incredibile. Questo per me è un sogno. Non so come ringraziarti.
– Devi dire grazie al Lambrusco, non a me. Forse faccio uno sbaglio, ma voglio fare così Monika. Per imparare a guidare un po' la Ferrari, ti aiuterà "Tortellino".
– Tortellino?
– Sì, è il soprannome di Giacomino, il nostro pilota dei test.
– Perché Tortellino?
– Perché è pieno di energia, come i tortellini. Adesso dico a "Piadina" di chiamarlo.

Monika ride.

– Piadina è... Caterina, la segretaria?
– Hai capito bene.
– E mangia sempre le piadine, vero?
– No, ma lei è buona e sottile, come la piadina.
– Ah, ho capito.

fai gli ESERCIZI
vai a pagina 53

12. Giacomino, detto Tortellino

Giacomino è un uomo simpatico, piccolo e pieno di energia.

traccia 12

– Che piacere conoscere una pilota così bella. Io sono il test driver, Giacomino Giacomazzi, si scrive con due zeta.
– Piacere, Monika Wolf. L'Ingegnere mi ha parlato di Lei.
– E Le ha detto che sono un po' pazzo?

▶ note

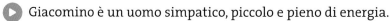

piadina • focaccia tipica dell'Emilia Romagna

sottile • fine, magra *Questo libro ha una carta molto sottile.*

– Un po' pazzo?

– Sì, pazzo, matto. Vede signorina, la Ferrari non è per le persone normali, perché non è una macchina normale. Si guida con i piedi, con le mani, con il cuore...

–...e con la testa. Sì, lo so.

– Bravissima. E Le dico anche un'altra cosa: guidare la Ferrari è come ballare il liscio.

– Cos'è il liscio?

– È un ballo popolare, della nostra terra. È un po' come il valzer, la polka e la mazurka.

– È difficile?

– Sì, come guidare una Ferrari, ah ah.

– E perché?

– Perché deve stare bene fisicamente, deve guidare con passione e con attenzione, deve sentire la musica del motore, a volte deve andare più veloce e a volte più lenta. Vuole vedere?

– Ma senza la macchina?

– Io sto parlando del ballo. Adesso Lei è la macchina, signorina.

Giacomino prende le bellissime mani di Monika.

– Ora deve chiudere gli occhi e immaginare di stare sulla pista. Sente il rumore del motore? Vede le curve? A destra, poi a sinistra poi ancora a destra. Più lento, poi veloce...

Giacomino avvicina il suo viso a quello di Monika. La donna fa un passo indietro.

– Ehi, STOP!

– Che cosa c'è? – domanda Giacomino.

– Lei sta andando troppo veloce, Giacomino! Però questo liscio mi piace.

note ◄

passo

Giacomino ride.

– Allora dobbiamo andare in balera.
– Che cos'è la balera?
– È il posto dove si balla il liscio. Qui alla Ferrari abbiamo un bar, un ristorante, una piscina, un cinema ed anche una balera. Viene a ballare con me?
– Voi italiani siete tutti uguali. Andiamo in balera, beviamo del vino, così mi ubriaco e non capisco più niente. Poi mentre balliamo Lei mi bacia.
– Ma certo! Anch'io bacio la mia macchina qualche volta. E poi Lei è una bella ragazza, con due zeta!

fai gli ESERCIZI
vai a pagina 54

13. La spia

traccia 13

Nello stesso momento, l'Ingegnere e Arturo, il capo meccanico, stanno parlando nell'ufficio dell'Ingegnere.

– Arturo, che cosa pensi della signorina Wolf? – domanda l'Ingegnere.
– Secondo me Ingegnere, quella donna è un po' strana.
– Strana, perché?
– Fa tante domande, io capisco che per una giornalista è normale ma...
– Sei un po' geloso, Arturo?

▶ note

piscina

mi ubriaco (inf. ubriacarsi) • bevo troppo alcol *Se bevo troppo vino mi ubriaco.*
geloso • invidioso *Elena non esce mai, perchè suo marito è molto geloso.*

– Geloso? Io?

– Sì, geloso perché Giacomino dà lezioni di guida a Monika. Ho visto come guardi quella donna. Comunque, Arturo, lei non è una giornalista.

– Cosa?

– No, è una pilota, cioè vuole fare la pilota.

– Allora perché ieri ha telefonato al suo giornale? Dopo il primo test Monika mi ha chiesto di telefonare al suo giornale di Milano. Ma se non è una giornalista, chi ha chiamato?

– Non lo so.

– Io ho sentito una telefonata in inglese.

– L'inglese è la sua lingua madre, insieme al tedesco.

– Io ho sentito: *"goodnight Mr. Ford, goodnight!"* Allora ho pensato: se ha chiamato Milano, perché dice buonanotte alle dieci del mattino?

– Buonanotte? Alle 10 del mattino? In quale parte del mondo adesso è notte?

– In America.

– E sei sicuro che ha detto: *Mr. Ford?*

– Sì. Ricordo bene quel nome, perché è lo stesso nome delle macchine Ford... Il nostro principale concorrente...

– Un momento Arturo... Stai dicendo che Monika Wolf è una spia della Ford? Molte persone in America si chiamano Ford di cognome.

– È vero, Ingegnere, ci sono molti Ford in America. E io non so se quella donna è una spia, ma sicuramente non è una pilota. – risponde Arturo. – Non sa guidare e ha già bruciato un motore.

– Anch'io ho bruciato un motore quando ero un giovane pilota.

– Sì, però tutti i piloti sanno che una macchina di Formula 1 non si accende con le chiavi. Solo Monika Wolf non lo sa. E poi c'è un'altra cosa strana: due giorni fa ha fatto delle foto in ufficio.

L'Ingegnere ascolta con attenzione le parole di Arturo. Sembra nervoso, cammina avanti e indietro per la stanza.

---

spia • persona che ruba segreti di altri e poi li vende *James Bond è la spia più famosa del mondo.*

In quel momento entra Caterina, la segretaria.

– Le ho portato i giornali, Ingegnere.
– Grazie, Caterina. Lei cosa pensa della "rossa"?
– Per me è la macchina migliore del mondo.
– Io parlo della signorina tedesca, la donna con i capelli rossi.
– Ah, la signorina Wolf? È molto bella, elegante e anche simpatica. Abbiamo parlato molto. Di solito gli inglesi o i tedeschi non parlano molto, ma Monika Wolf sì, lei parla tanto.
– Di che cosa avete parlato?
– Beh, mi ha fatto tante domande, è curiosa.
– Domande? Che tipo di domande?
– Su di Lei, su di me, e anche sui lavoratori. Per esempio, mi ha domandato se alla Ferrari lavoriamo anche di notte.
– E Lei ha risposto a queste domande?
– Ho detto solo quello che tutti sanno.
– L'ha vista fare foto?
– Sì, più di una volta... Ma ho pensato che è normale per una giornalista.
– La signorina Wolf non è una giornalista! – grida l'Ingegnere – Ma adesso dov'è? Quella donna misteriosa non deve girare da sola nella mia fabbrica.
– Non è sola, non è sola. È con Giacomino. Sta facendo lezione di guida "in balera". – dice Arturo con la faccia rossa come una Ferrari di F1.
– Portate qui la signorina Wolf! – ordina Ferrari.

fai gli ESERCIZI
vai a pagina 55

14. La balera

Nella balera, Monika e Giacomino stanno per cominciare la loro lezione di ballo. Sono tranquilli, rilassati. Giacomino mette una canzone dell'Orchestra Casadei, un famoso gruppo di liscio, poi prende una bottiglia di Lambrusco.

– Prima di tutto mettiamo un po' di benzina nel motore. Con questo si balla molto meglio.

– Ah che buono, e com'è fresco! – dice Monika – Ma il vino rosso non si beve un po' caldo?

– Di solito sì, ma il Lambrusco è diverso, è più buono fresco. Le piace questa musica?

– Sì, ma io preferisco quella classica o il rock.

– Allora adesso cominciamo la lezione. Prima di tutto, deve darmi la mano. Ecco brava, così...

Giacomino sa ballare molto bene e guida Monika in una danza veloce. La donna gira, gira, ma a un certo punto qualcosa cade da una tasca del suo vestito.

– Le è caduto qualcosa. – dice Giacomino. – Ah, sono i suoi biglietti da visita. Cosa c'è scritto?

Giacomino prende i biglietti.

– No fermo! – grida Monika.

---

note ◄

benzina • carburante per la macchina *Mio fratello fa il benzinaio, lavora in un distributore di benzina.*

tasca

biglietti da visita • carte con i dati personali

La donna dà un bacio a Giacomino e strappa i biglietti dalle sue mani. Poi li mette velocemente nella tasca. Giacomino è confuso.
Proprio in quel momento Arturo entra nella balera.

– Scusate, disturbo? Vedo che state facendo molti progressi con il ballo.
– Ciao Arturo.
– Signorina Wolf, come vanno le lezioni di guida? È andata fuori strada un'altra volta? Ha bevuto troppo vino? E tu, Tortellino, che cos'hai sulla faccia? Lambrusco?
– Non è Lambrusco.
– Ah, lo vedo che non è Lambrusco. È rossetto. È il Suo rossetto, signorina Wolf?
– Scusate, ora devo andare. – risponde la donna.
– Ci vediamo domani, signorina Wolf. – dice Giacomino.

Monika Wolf esce dalla balera. I due uomini restano da soli.

– Complimenti Tortellino, conosci questa donna da poco tempo, ma già siete molto "amici".
– Senti Arturo, devo parlare con l'Ingegnere. Per favore vieni anche tu, così puoi capire.
– Ah, ma io ho già capito tutto.
– No, tu non hai capito niente. Andiamo dall'Ingegnere.

fai gli ESERCIZI
vai a pagina 56

---

bacio

strappa (inf. strappare) • **prende con violenza**
*Quel bambino non è gentile, strappa sempre
i giochi dalle mani dei compagni.*

rossetto

15. Nell'ufficio dell'Ingegnere

traccia 15

Qualche minuto dopo, nell'ufficio dell'Ingegnere. Ci sono tutti: l'Ingegnere, il capo meccanico Arturo, il test driver Giacomino, la segretaria Caterina. Giacomino racconta.

– Durante il ballo, quando i biglietti da visita sono caduti, io li ho presi, ma lei mi ha dato un bacio, ha strappato i biglietti dalle mie mani e li ha rimessi velocemente nella sua tasca, così non sono riuscito a leggerli.
– Ma per quale motivo una persona vuole nascondere la propria identità? Sei sicuro di quello che hai visto? – chiede l'Ingegnere.
– No, non è sicuro. – dice Arturo. – Quella donna lo ha baciato e lui ora è confuso.
– Sono sicuro, sono sicuro.
– Basta, signori! Voi siete dei professionisti, non dei bambini. E poi non avete mai visto una donna?
– Bella come questa? No, veramente.
– Sentite, questo è un momento difficile per la nostra fabbrica, quindi è il momento di stare uniti, non uno contro l'altro. Ci sono troppi misteri. La telefonata in inglese, le sue strane domande, e poi questa storia dei biglietti da visita. Voglio sapere di più su questa donna.
– Chiamiamo un detective?
– No, non abbiamo molto tempo. Dobbiamo pensare a un'altra soluzione.

L'ingegnere cammina per la stanza, è nervoso.

▶ note

nascondere • coprire, non far vedere *Il mio cane nasconde la palla in giardino.*

C'è molto silenzio, poi finalmente parla:

– Secondo me, la bella Monika è una spia della Ford. È una donna
molto intelligente, ma io non sono uno stupido. Giacomino, tu
domani devi fare una lezione di guida con lei, vero?
– Sì, domani mattina.
– Ascoltami bene, adesso ti spiego cosa devi fare.

 fai gli ESERCIZI
vai a pagina 57

16. Un giro di pista

 traccia 16

La mattina dopo, sulla pista di Fiorano. Il tempo è brutto, piove. Sulla
pista c'è molta acqua. Questa volta Monika Wolf arriva puntuale.
L'Ingegnere la sta aspettando.

– Buongiorno signorina Wolf!
– Buongiorno.
– Ha visto che brutto tempo?
– Sì, dov'è il famoso sole italiano? Ma perché mi dà del Lei?

L'Ingegnere non risponde. Va a parlare con Giacomino. I due parlano per
qualche minuto, poi l'Ingegnere torna dalla donna.

– È pronta per fare una nuova emozionante esperienza sotto la
pioggia? Che ne dice di fare un bel giro su una Ferrari GT?
– Mi dispiace, non posso guidare con questa pioggia.
– Ma non deve guidare Lei! Abbiamo il nostro Giacomino, che è un
pilota eccellente.
– Ma scusi, c'è posto per due?
– Certo. La Ferrari GT non è una Formula 1, infatti ha due posti, non lo
sa? Vieni Giacomino, porta la signorina Wolf a fare un giro.

--- note ◄

piove (inf. piovere)

I due salgono su una bellissima Ferrari, tutta rossa. È una macchina a due posti. Si mettono il casco e partono. L'auto fa il primo chilometro molto lentamente, poi all'improvviso Giacomino comincia a correre. Monika è nervosa, invece Giacomino sorride.

– Lo so, Signorina, Lei sta pensando: "perché andiamo così piano?", ma questo è solo un "valzer lento" per riscaldare la macchina, ora cominciamo a correre!

Giacomino corre sotto la pioggia, velocissimo. Monika ha paura.

– Tutto bene? – domanda Giacomino.
– Benissimo. – risponde Monika mentre cerca di restare calma e non pensare.

Ma quando Giacomino fa una curva a 250 kmh, Monika grida:

– No!
– No che cosa?
– Ehm, la quinta, no. Secondo me è meglio fare quella curva in quarta marcia.

Giacomino corre ancora più veloce.

– Ora balliamo la mazurka, signorina. Sente che musica questo motore Ferrari? Meglio della Ford? Ah già, ma Lei non conosce il rumore della Ford, vero? O forse mi sbaglio.
– Ma di cosa parla?
– Del signor Ford. Lei lo conosce, vero?
– Attento! – grida la donna. – No, così no, ho paura!
– Allora, conosce Ford, sì o no? Per chi lavora, signorina? Questa volta deve dire la verità. Lei è una spia?
– E va bene! Dico tutto. Ma per favore, basta Giacomino!

fai gli ESERCIZI
vai a pagina 59

17. Un posto di lavoro grandioso

traccia 17

Dieci minuti dopo. La Ferrari GT è ferma ai box. Ora non piove più. Monika scende dalla macchina e si toglie il casco. I suoi occhi verdi hanno un'espressione di terrore.

– Ha avuto paura, signorina Wolf? – chiede l'Ingegnere.
– Sì, moltissima.
– Ora deve dire la verità: Lei lavora per la Ford!
– Per la Ford?
– Sì. Lei riceve soldi per vendere i segreti della nostra fabbrica, vero?
– Ma che dice?
– Ah no? E allora perché è venuta qui? Per chi lavora?
– Vuole la verità? E va bene. Ingegnere, io lavoro per un'agenzia americana, si chiama *Great Place to Work Institute*.
– *Great Place to Work Institute*? Cos'è?
– Significa più o meno *Istituto per un posto di lavoro grandioso*. Questo istituto studia quali sono le più importanti aziende nel mondo e ogni anno dà un premio a quella migliore.
– Un premio?
– Sì, il premio si chiama BEST PLACE TO WORK AWARD. Il mio presidente, Darryl Ford, mi ha mandato qui alla FERRARI, perché voi potete vincerlo. Guardate!

Monika prende dalla tasca un biglietto da visita e lo dà all'Ingegnere.

> **GREAT PLACE TO WORK**
> **INSTITUTE**
> Monika Wolf
>
> *183 Madison Avenue, Suite 902*
> *New York, New York 10016*
> *+1 646 370 1125*

▸ note

aziende • compagnie commerciali *La Coca Cola e la Apple sono due aziende americane.*

– Allora, Lei signorina Wolf è della *Great Place to Work*, di New York?

– Sì, e sono venuta per capire come lavorate. E devo dire che voi lavorate bene.

– Ah, ora capisco perché non sa guidare una F1 e capisco anche tutte quelle domande.

– Siamo stati anche alla Mercedes, alla Renault, alla Mc Laren. Ma devo dire che la Ferrari è l'azienda migliore del mondo. Il primo premio è vostro!

– Grazie. Anch'io devo dire che la vostra organizzazione è una macchina perfetta.

– Come le Sue macchine, Ingegnere.

– La macchina perfetta è la prossima, signorina Wolf.

– Forse devi ricominciare a darmi del tu, Ingegnere.

– Lo faccio con piacere, Monika. E sono contento che ci siamo sbagliati e che non sei una spia. Ti chiedo scusa.

– Accetto le scuse. Però voglio un soprannome italiano anche per me.

– Va bene. Che ne dici di "La rossa"?

– Ma certo!

– Perfetto, allora dobbiamo festeggiare. Giacomino, corri a prendere una bottiglia di Lambrusco!

FINE

fai gli ESERCIZI
vai a pagina 61

LA FERRARI

Ferrari S.p.A. è un'azienda
automobilistica italiana fondata da
Enzo Ferrari, che produce autovetture
sportive dal 1947.
È l'esempio perfetto di passione,
umanità e alta tecnologia italiana.

La sede dell'azienda è situata a
Maranello, vicino Modena ed
ospita anche il Museo Ferrari, uno
dei più visitati d'Italia.

Nel 2006 la Ferrari ha
vinto il premio "Great
Place to Work Institute"
come il miglior posto di
lavoro in Europa, perché
la sua filosofia mette
l'uomo al centro della
produzione.
Le macchine Ferrari sono
le più desiderate del
mondo.

L'EMILIA ROMAGNA

L'Emilia-Romagna è una delle regioni più ricche d'Europa.

Gli amanti del mare, del sole e del divertimento scelgono la Riviera Romagnola, con la spiaggia più lunga d'Europa. Rimini, Riccione, Cattolica sono località famose per ottima accoglienza turistica, relax e tanto divertimento.

La città più importanti offrono arte, religione e storia: per esempio Bologna, famosa per l'Università più antica del mondo occidentale, Ravenna, antica capitale dell'Impero Romano d'Occidente, Ferrara, dove si può girare tranquillamente in bicicletta, specialmente nella bella stagione, e poi Modena e Parma con i prodotti tipici famosi in tutto il mondo come per esempio il parmigiano, il prosciutto crudo, l'aceto balsamico, i tortellini, la mortadella, la piadina, lo squacquerone.

E poi, chi non conosce il ragù alla bolognese?

1 • Vero o falso? Rispondi con una X.

	V	F
a. Alla conferenza stampa ci sono 50 piloti.	☐	☒
b. L'Ingegnere è molto giovane.	☐	☒
c. L'Ingegnere risponde con pazienza a tutte le domande.	☐	☒
d. La donna con i capelli rossi non conosce l'Ingegnere.	☒	☐

2 • Completa il testo con il presente dei verbi.

In una grande stanza (*esserci*) _ci sono_ circa cinquanta giornalisti.
Sono seduti e (*aspettare*) _aspettano_
(*Entrare*) _entra_ un uomo, (*avere*) _ha_ circa
settant'anni; (*avere*) _ha_ i capelli bianchi e gli occhiali neri.
Tutti (*fare*) _fanno_ silenzio.

3 • Completa il dialogo con le parole della lista.

giornalisti	buongiorno	domanda

esperienza	macchina

– _buongiorno_, signore e signori. Posso avere la vostra attenzione,
per favore? – dice l'uomo – Ho una _domanda_ per voi. Chi vuole
guidare una rossa?
– Una rossa? – domanda qualcuno.
– Sì, una _macchina_ da corsa, rossa, una Formula 1.
– E perché, scusi? Noi siamo _giornalisti_, non piloti.
– Perché qualche volta voi scrivete male di me e delle mie macchine
e questo non mi piace. Allora, chi vuole fare questa _esperienza_
deve venire a Fiorano. È una grande occasione per conoscere le nostre
macchine e le persone che lavorano per noi. Per oggi è tutto.

1 • Scegli la frase giusta.

1. L'Ingegnere dice che
- ☐ a. il pilota è molto veloce.
- ☑ b. la Ferrari è molto veloce.

2. Monika è
- ☐ a. italiana
- ☑ b. anglotedesca.

3. L'Ingegnere
- ☐ a. legge sempre il giornale *Donne e Motori*.
- ☑ b. non ha mai letto il giornale *Donne e Motori*.

4. Monika
- ☑ a. ha già conosciuto Caterina.
- ☐ b. non ha ancora conosciuto Caterina.

2 • Scrivi la vocale giusta.

L'uomo con gli occhiali ner _i_ ha un cronometro in mano. Sta guardando una macchina ross _a_ che corre veloce.
Poco dopo arriva la donna dai capelli ross _i_ . È alt _a_ , bell _a_ e molto elegant _e_ .

3 • Metti in ordine il dialogo.

- _4_ a. *Donne e Motori*. È un giornale di Milano.
- _2_ b. Sì.
- _1_ c. È una giornalista?
- _5_ d. Non lo conosco. Allora Lei è già andata da Caterina, la mia segretaria?
- _3_ e. Di quale giornale?
- _6_ f. Sì, e devo dire che è molto gentile.

4 • Scrivi le parole al posto giusto.

| cuore | piedi | testa | mani |

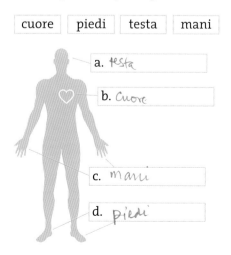

a. testa

b. Cuore

c. mani

d. piedi

1 • Vero o falso? Rispondi con una X.

	V	F
a. Arturo e Giacomino sono parenti.	☐	☒
b. In Emilia Romagna molte persone si chiamano con i soprannomi.	☒	☐
c. Arturo è una persona dolce e delicata come il formaggio Squacquerone.	☐	☒
d. Arturo e Giacomino parlano in tedesco quando sono arrabbiati.	☐	☒

2 • Scegli la parola giusta.

L'Ingegnere e Monika Wolf entrano nei box. Ci sono molti uomini **che/ chi/dove** lavorano.

– Signorina, vede **quella/quello/quel** signore con la tuta **rosso/ rossa/rossi**? Lui è Squacquerone.
– Squac..? Come **scusi/scusa/scuse**?
– Squacquerone! È il soprannome di Arturo, il **suo/vostro/nostro** capo meccanico.
– Ma che significa Squacquerone?
– È un formaggio **nell'/del/dell'**Emilia Romagna: un formaggio dolce e delicato.

3 • Completa il testo con il presente dei verbi.

Arturo (stare) ___sta___ parlando con un uomo: è Giacomino, il test driver. I due (gridare) ___gridano___.

– (Tu – avere) ___Hai___ la testa dura, *boia d'un mond làder!*
– *Tie un articioc!*
– Ma che lingua (loro – parlare) ___parlano___? – (domandare) ___domanda___ la donna, curiosa.

– Il dialetto emiliano-romagnolo. Parlano in dialetto perché (*essere*) _____sono_____ arrabbiati.

– Ah, interessante! Ma (*sembrare*) ___sembra___ inglese.

4 • Completa il dialogo con le parole della lista.

| aperitivo | calmi | giusto | insieme | persone | fine |

– Forse non è il momento ___giusto___ per fare il test adesso. Sono arrabbiati. – dice Monika.

– Non è un problema. Ogni giorno fanno così, ma sono due bravissime ___persone___. Vede? Adesso sono ___insieme___, è tutto ok. Noi siamo come una famiglia: discutiamo, ci arrabbiamo, ma alla ___fine___ andiamo tutti ___calmi___ al bar a prendere un ___aperitivo___.

5 • Metti le parole delle frasi nell'ordine giusto.

a. **Qui** / Emilia Romagna / usiamo / molto / ci / i / soprannomi / in / perché / piace / noi / **scherzare**.

Qui ___in Emilia Romagna (usiamo) noi i soprannomi molto___ ___perché ci piace___ scherzare.

b. **E** / alla / come / Ferrari / una / qui / famiglia / siamo.

E ___qui alla Ferrari siamo come una___ ___famiglia___.

1 • Scegli la frase giusta.

1. Il capo meccanico
   - ☑ a. scherza con Monika.
   - ☐ b. dà a Monika le chiavi della macchina.

2. Monika
   - ☐ a. ha lavorato come modella.
   - ☑ b. per guidare deve mettere dei vestiti adatti.

3. Arturo dice
   - ☑ a. che in Ferrari c'è un sistema antincendio.
   - ☐ b. che Monika è divertente.

4. "In bocca al lupo!"
   - ☑ a. è un modo di dire positivo.
   - ☐ b. è un modo di dire negativo.

2 • Scegli la parola giusta.

– Salve. Io sono Arturo, il capo meccanico. Scusi, non Le do la mano, ho le mani **sporche/sporci/sporchi**.

– Piacere, Monika Wolf.

– Benvenuta alla Ferrari, signorina. In **quello/quel/quella** stanza può cambiarsi i vestiti. Lì dentro ci sono i guanti, il casco e anche le scarpe, ma non hanno il tacco **alto/alta/alti**, eh!

– Signor Arturo, io non sono una modella, sono una giornalista. E poi io sono già **alto/alta/alti**, non uso mai scarpe con il tacco **alto/alta/alti**.

– Sì certo, lo so... Quando ha finito, Le do qualche consiglio tecnico sulla macchina.

– Bene, grazie.

Monika va a cambiarsi e in **poco/pochi/poci** minuti è **pronta/pronto/pronti**.

3 • Metti in ordine il dialogo.

6 a. C'è o non c'è?

1 b. È già pronta, signorina? Di solito le donne hanno bisogno di due ore per cambiarsi.

3 c. Va bene, scusi. Ha domande?

5 d. Un sistema antincendio? Perché?

7 e. Certo che c'è! Qui abbiamo tutto, siamo alla Ferrari. Allora, è pronta?

2 f. Ah ah, non è divertente!

8 g. Sì.

4 h. Senta Arturo, qui c'è un sistema antincendio?

4 • Completa il testo con il presente dei verbi.

– Le chiavi sono dentro?
– Le chiavi? Ah ah ah! Questa macchina (*accendersi*) _si accende_ senza chiavi, non lo sa? – (*dire*) _dice_ Arturo con un sorriso.
– Ehm, sì. Lo (*io – sapere*) _so_, (*io – sapere*), lo _so_.
– Allora "in bocca al lupo". (*Lei – sapere*) _sa_ cosa significa?
– Sì, certo. È la prima cosa che ho imparato qui in Italia, è un modo di dire come "buona fortuna".
– Giusto. E Lei cosa (*dovere*) _deve_ rispondere?
– Crepi!

✎ ESERCIZI 5. Il test

1 • Vero o falso? Rispondi con una X.

	V	F
a. La Ferrari va veloce solo quando fa caldo.	✓	
b. Monika deve fare trenta giri di pista.		✓
c. Arturo è emozionato perché Monika è molto bella.		✓
d. La donna non sa come rallentare la macchina.		✓

2 • Completa il testo con il presente dei verbi.

Monika (*entrare*) _entra_ nella macchina. Lo spazio per il pilota è molto piccolo. Non è facile trovare la giusta posizione. Il capo meccanico (*aiutare*) _aiuta_ la donna.

– Come (*andare*) _va_ ? – domanda Arturo.
– Male. Sto scomoda e non (*vedere*) _vedo_ bene. Come (*potere*) _posso_ guidare in questa posizione?
– È la posizione migliore. È emozionata?
– Sì, il mio cuore (*battere*) _batte_ forte.
– Anche il mio.
– Ma Lei non (*dovere*) _deve_ guidare.
– Sì, ma io (*emozionarsi*) _mi emoziono_ sempre quando vedo una Ferrari.

3 • Completa il testo con le parole della lista.

fa	accende	ha bruciato	scende

si muove	si spegne	ha fatto

Monika _accende_ la macchina. Il motore _fa_ molto rumore ma _si spegne_ subito.

– Proviamo ancora – dice il capo meccanico.

Monika accende di nuovo il motore. La macchina non _si muove_.
All'improvviso un rumore fortissimo... BANG!!!

– Ma cosa _ha fatto_ signorina Wolf? – grida Arturo –
ha bruciato il motore!

La donna _scende_ dalla macchina.

1 • Scegli la frase giusta.

1. Monika telefona al suo
   giornale
   ☑ a. dal telefono di un ufficio.
   ☐ b. dal suo telefono.

2. Dopo la telefonata Monika
   ☑ a. rimane un po' di tempo
   nell'ufficio.
   ☐ b. esce subito dall'ufficio.

3. Arturo è arrabbiato con
   Monika
   ☑ a. perché ha fatto delle
   fotografie.
   ☐ b. perché è innamorato di lei.

4. L'Ingegnere dice che
   ☐ a. non ha mai avuto problemi
   a guidare una Ferrari.
   ☑ b. la prima volta che ha
   guidato una Ferrari ha avuto
   un problema.

2 • Completa il testo con il presente dei verbi.

Monika (*sedersi*) _si'siede_ e Arturo (*uscire*) _esce_ ad
aspettare fuori. L'uomo (*sentire*) _sente_ la voce della donna che
parla in inglese, ma (*capire*) _capisce_ solo le ultime parole della
conversazione: "*goodnight Mr. Ford, goodnight!*" .
La telefonata è finita, ma Monika non (*uscire*) _esce_. Arturo
(*aspettare*) _aspetta_ qualche minuto, poi (*entrare*) _entra_
nell'ufficio. Monika (*avere*) _ha_ una macchina fotografica in
mano.

3 • Scegli la parola giusta.

Arturo è **arrabbiato/arabiato/arrabiato**. **Questi/Questa/Queste** donna
è un po' **strani/straniera/strana**. E fa delle cose che ad Arturo non
piacciono: brucia i motori, fa fotografie... Ma è anche molto
belle/bella/bello, e ad Arturo piacciono le **bella/bello/belle** donne...
Quando Arturo e Monika entrano nell'ufficio dell'Ingegnere, l'uomo
con gli occhiali **nero/nera/neri** è seduto alla **tua/sua/mia** scrivania.

1 • Vero o falso? Rispondi con una X.

V   F

1. Monika non arriva puntuale all'appuntamento con l'Ingegnere. ☑ ☐
2. La Fiat 500 è un macchina più lenta della Ferrari. ☑ ☐
3. Ad Arturo piace Monika. ☑ ☐
4. Quel giorno l'Ingegnere è molto occupato. ☑ ☐

2 • Completa il testo con il presente o il passato prossimo dei verbi. Attenzione: devi usare il passato prossimo solo una volta.

– È in ritardo.

– A me (*sembrare*) _Sembra_ velocissimo. – dice Monika.

– Non (*io – stare*) _sta_ parlando del mio pilota, ma di Lei, signorina.

– Mi dispiace, ma (*io – venire*) _Sono venuto_ con una Fiat 500, non con una Ferrari.

– La Fiat 500 è una grande macchina, deve avere rispetto.

– Sì, mi scusi.

– È pronta per guidare "la rossa"?

– Sì. (*Venire*) _viene_ anche Lei?

– Io ho molte cose da fare. Per il test (*esserci*) _c'è_ Arturo.

– Però io (*sentirsi*) _Mi sento_ meglio con Lei.

3 • Metti in ordine il dialogo.

5 a. Di Lei. Devo dire che Lei è molto affascinante, signorina.

2 b. Quando vede una Ferrari?

1 c. Quando Squacquerone vede una "rossa" non capisce più niente.

4 d. Innamorato? Di chi?

6 e. Grazie! Lei è molto gentile.

3 f. No. Una donna rossa come Lei. Quando Arturo fa così, vuol dire che è innamorato.

1• Scegli la frase giusta.

1. Durante il test Monika
☐ a. al quinto giro esce di pista.
☑ b. riesce a mettere anche la quinta marcia.

2. Secondo l'Ingegnere Monika
☐ a. non può guidare la macchina.
☑ b. è stata coraggiosa.

3. L'Ingegnere prende un appuntamento per il giorno dopo con
☐ a. Susanna Pestalozzi.
☑ b. Monika Wolf.

4. Susanna Pestalozzi è
☑ a. una giornalista.
☐ b. una pilota.

2• Completa i testi con le preposizioni della lista.

| con | ai | alla | in | per | di | alla |

a. Pochi minuti dopo, Monika è pronta ___per___ il test. Si mette il casco ed entra ___in___ macchina per la seconda volta. Arturo, il capo meccanico, è vicino ___alla___ donna.

b. Monika accende il motore e mette la prima marcia. Questa volta la macchina si muove, poi Monika mette la seconda, la terza e anche la quarta e la quinta, ma ___alla___ seconda curva la macchina esce ___di___ pista. Anche questo test è finito. Monika torna ___ai___ box dove l'aspetta l'uomo ___con___ gli occhiali neri.

3 • Completa il dialogo con il passato prossimo dei verbi.

– È troppo difficile! Non posso guidare questa macchina. – dice Monika.

– No, (*Lei – essere*) ___è stata___ brava. – risponde l'Ingegnere.

– Come? (*Io – essere*) ___sono stata___ brava?

– Sì. Come giornalista sì. (*Lei – fare*) ___ha fatto___ la prima curva in quarta marcia, senza frenare. (*Lei – avere*) ___Ha avuto___ coraggio.

– Veramente?

– (*Lei – essere*) ___è stata___ brava, signorina Wolf, bravissima.

– Grazie. (*Essere*) ___È stata___ una grande emozione.

4 • Scrivi la vocale giusta.

L'Ingegnere e Monika si salutano. All'Ingegnere quest_a_ donna piace. Non solo perché è molto bell_a_, ma anche perché è coraggios_a_, non ha paura di sbagliare. E poi è ross_a_, come le su_e_ macchin_e_. L'Ingegnere torna nel su_o_ uffici_o_. Davanti alla porta c'è un'altr_a_ donn_a_.

ESERCIZI 9. L'intervista

1 • Vero o falso? Rispondi con una X.

		V	F
a.	La segretaria telefona all'Ingegnere per annunciare che Monika è arrivata.	☒	☐
b.	L'Ingegnere mangia sempre con i lavoratori della fabbrica Ferrari.	☒	☐
c.	Monika fa una foto con la segretaria prima di entrare nello studio dell'Ingegnere.	☐	☒
d.	Il ristorante dove mangiano è lontano.	☐	☒

2 • Scegli la parola giusta.

Il giorno dopo, a mezzogiorno, Monika Wolf è davanti **a/dell'/all'**ufficio **dal/dell'/di** Ingegnere. È vestita **in/a/con** modo sexy, con un abito rosso ed un paio di scarpe rosso fuoco.

– Posso vedere l'Ingegnere? – chiede Monika a Caterina, la segretaria.
– Certo, solo un momento.

La segretaria si alza ed entra **alla/in/nella** stanza **dell'/dall'/del** Ingegnere. Monika rimane sola. Prende la sua macchina fotografica e comincia a fare delle foto. Dopo un minuto Caterina ritorna. Allora Monika mette subito la macchina **nella/in/nel** sua borsa.

3 • Riordina il dialogo.

[1] a. Buongiorno, Ingegnere.

[3] b. Sì, è il vestito giusto per parlare.

[6] c. Ah, sì, certo, l'intervista... Ma ora io sto andando a mangiare. Possiamo parlare a pranzo.

[2] d. Buongiorno signorina Wolf. Come è elegante!

[4] e. Per parlare? Di che cosa?

[5] f. Ma come, non ricorda? L'intervista!

4 • Completa il dialogo con il presente dei verbi.

– (*Noi – mangiare*) _mangiamo_ insieme, così (*noi – potere*) _possiamo_ parlare meglio.
– Va bene, (*noi – prendere*) _prendiamo_ la macchina?
– No. (*Noi – Andare*) _andiamo_ al ristorante della Ferrari. È qui vicino. Io (*mangiare*) _mangio_ sempre insieme ai miei operai. Qui alla Ferrari (*noi – essere*) _siamo_ tutti uguali.

5 • Metti le parole nell'ordine giusto.

a. ufficio / dell' / Monika / nell' / entra / Ingegnere

Monika entra nell'ufficio dell' Ingegnere .

b. l' / con / seduto / alla / uomo / sua / gli / occhiali / scrivania / è / neri

L'uomo con gli occhiali neri è seduto alla sua .
                                                    scrivania

ESERCIZI 10. A pranzo con l'Ingegnere

1 • Scegli la frase giusta.

1. L'Ingegnere e Monika
   ☑ a. mangiano un piatto
   famoso in Emilia Romagna.
   ☐ b. mangiano un'insalata.

2. L'Ingegnere dice che Monika
   ☐ a. è una brava giornalista.
   ☑ b. gli ha detto una bugia.

3. L'Ingegnere
   ☑ a. vuole fare una passeggiata
   con Monika.
   ☐ b. non vuole più vedere
   Monika.

4. L'aceto balsamico
   ☑ a. è pronto dopo molti anni.
   ☐ b. è rosso come la Ferrari.

2 • Completa il testo con il presente o il passato prossimo dei verbi.

– Ieri (venire) _è venuta_ una giornalista del giornale _Motori e Donne_
e mi ha detto che _Donne e Motori_ non (esistere) _esiste_ più. È
strano, no?

– No, non è strano. Quella donna dice la verità.

– Allora Lei signorina mi (dire) _ha detto_ una bugia.

– Sì, Le (dire) _ho detto_ una bugia: non sono una giornalista. Mi
scusi tanto.

– Ma perché? Cosa (venire) _è venuta_ a fare qui? Cosa (Lei – volere)
Lei vuole da me?

– Beh... La verità è che io... (volere) _voglio_ diventare pilota.

3 • Scegli la parola giusta.

– Ho capito cosa **vuole/voglio/vuoi** dire, Ingegnere, ma io non **potere/può/posso** aspettare dodici anni per diventare pilota! **Vorrei/Vogliono/Vuole** guidare una Ferrari e imparare come si lavora nella squadra migliore del mondo.

– E secondo Lei perché **devi/devono/devo** accettare, Monika?

– Prima di tutto perché io sono come Lei, **sono/so/posso** quello che **devo/voglio/so** e sono piena di passione.

ESERCIZI 11. La Formula Uomo

1 • Vero o falso? Rispondi con una X.

		V	F
1.	Giacomino e Caterina hanno i soprannomi di due piatti italiani.	X	
2.	La Ferrari prende a lavorare solo persone felici.	X	
3.	Giacomino sta imparando a guidare una Ferrari.		X
4.	L'Ingegnere offre a Monika la possibilità di fare esperienza in Ferrari.	X	

2 • Scrivi la vocale giusta.

I due camminano per circa trenta minuti e arrivano alla fabbrica della Ferrari. Ci sono tant_i_ operai che lavorano. Qui ogn_i_ parte della macchina è prodotta con alt_a_ tecnologia.

– Che bello. – dice Monika – Quest_i_ operai sembrano tutt_i_ molto felic_i_ di lavorare qui.

– Sì, è così. Un uomo lavora meglio quando è felic_e_. Vita di qualità significa macchine di qualità. Alla Ferrari tutt_i_ sono content_i_, è la nostr_a_ filosofi_a_, si chiama Formula Uomo.

1 • Scegli la frase giusta.

1. Giacomino
☑ a. è una persona molto vivace.
☐ b. è una persona molto seria e formale.

2. Il liscio
☐ a. è un piatto tipico dell'Emilia Romagna.
☑ b. è una danza tipica dell'Emilia Romagna.

3. Giacomino
☑ a. insegna a Monika a ballare.
☐ b. bacia Monika.

4. Alla Ferrari è possibile
☑ a. mangiare, nuotare e vedere un film.
☐ b. imparare a cucinare.

2 • Scegli l'articolo giusto.

– Che piacere conoscere **una/un/un'** pilota così bella. Io sono **lo/il/i** test driver, Giacomino Giacomazzi, si scrive con due zeta.

– Piacere, Monika Wolf. **Il/Lo/L'** Ingegnere mi ha parlato di Lei.

– E Le ha detto che sono un po' pazzo?

– Un po' pazzo?

– Sì, pazzo, matto. Vede signorina, la Ferrari non è per **la/ le/gli** persone normali, perché non è **un'/una/un** macchina normale. Si guida con **i/gli/le** piedi, con **i/gli/le** mani, con **lo/le/il** cuore...

🔗 Il liscio

Il "liscio" è un ballo di coppia nato in Romagna tra il XIX e il XX secolo, basato su una musica veloce e allegra, molto diffuso in tutta Italia.
L'Orchestra Raul Casadei è il gruppo più popolare di musica "liscio" in Italia.

---

1 • Vero o falso? Rispondi con una X.

		V	F
1.	Arturo ha dei sospetti su Monika.	☑	☐
2.	Per Caterina, la Ferrari è un'ottima macchina.	☐	☑
3.	Monika sa parlare inglese e tedesco.	☑	☐
4.	Una macchina di Formula 1 si accende senza chiavi.	☑	☐

2 • Metti in ordine il dialogo.

3 a. Strana, perché?

7 b. Sì, geloso perché Giacomino dà lezioni di guida a Monika.

2 c. Secondo me Ingegnere, quella donna è un po' strana.

5 d. Sei un po' geloso, Arturo?

1 e. Arturo, che cosa pensi della signorina Wolf?

4 f. Fa tante domande, capisco che per una giornalista è normale ma...

6 g. Geloso? Io?

3 • Scegli la parola giusta.

– Ah, la signorina Wolf? È molto bella, elegante e anche simpatica. **Hanno parlato/Abbiamo parlato/Siamo parlati** molto. Di solito gli inglesi o i tedeschi non parlano molto, ma Monika Wolf sì, lei parla tanto.

– Di che cosa **hai parlato/sei parlata/avete parlato**?

– Beh, mi ha fatto tante domande, è curiosa.

– Domande? Che tipo di domande?

– Su di Lei, su di me, e anche sui lavoratori. Per esempio, mi **ha domandato/è domandata/hanno domandato** se alla Ferrari lavoriamo anche di notte.

– E Lei **è risposta/ha risponduto/ha risposto** a queste domande?

– Ho detto solo quello che tutti **sa/sanno/sapere**.

– **L'ha vista/L'ha visto/L'ho vista** fare foto?

– Sì, più di una volta... Ma **ho penso/sono pensata/ho pensato** che è normale per una giornalista.

1 • Scegli la frase giusta.

1. Il Lambrusco è un vino rosso
☑ a. che si può mettere in frigorifero.
☑ b. che si beve quando fa freddo.

2. Giacomino
☑ a. è un bravo ballerino di liscio.
☐ b. è un bravo cantante di liscio.

3. Monika
☐ a. dà un bacio ad Arturo.
☑ b. dà un bacio a Giacomino.

4. Giacomino vuole parlare con l'Ingegnere
☑ a. perché è innamorato di Monika.
☐ b. perché ha dei sospetti su Monika.

2 • Completa il testo con il presente o il passato prossimo dei verbi.

– Scusate, disturbo? Vedo che (stare) _____state_____ facendo molti progressi con il ballo.
– Ciao Arturo.
– Signorina Wolf, come (andare) _____vanno_____ le lezioni di guida? (Lei – andare) _È andata_ fuori strada un'altra volta? (Bere) _Ha bevuto_ troppo vino? E tu, Tortellino, che cos'(avere) _____hai_____ sulla faccia? Lambrusco?
– Non è Lambrusco.
– Ah, lo (vedere) _____vedo_____ che non è Lambrusco. È rossetto. È il Suo rossetto, signorina Wolf?
– Scusate, ora devo andare. – risponde la donna.

Monika Wolf (uscire) _____esce_____ dalla balera. I due uomini (restare) _restano_ da soli.

3 • Abbina gli aggettivi contrari, come nell'esempio.

a. diverso ☐ 4
b. fresco ☐ 2
c. cattivo ☐ 1
d. tranquillo ☐ 3

1. buono
2. caldo
3. nervoso.
4. uguale

🖉 I vini italiani

Il vino è un componente importante della dieta mediterranea. Gli italiani lo bevono durante il pranzo e la cena. Di solito con i piatti a base di carne si beve il vino rosso, mentre il pesce è spesso servito con un buon vino bianco.

I vini rossi più famosi sono il *Chianti* toscano, il *Lambrusco* emiliano, il *Barolo* piemontese e il *Cannonau* sardo. Ma anche i vini bianchi italiani sono conosciuti nel mondo, come per esempio il *Tocai* friulano, il *Prosecco* veneto o il *Marsala* siciliano, perfetto per accompagnare i dolci.

⬦ ESERCIZI / 15. Nell'ufficio dell'Ingegnere

1 • Vero o falso? Rispondi con una X.

		V	F
a.	Giacomino non ha potuto leggere i biglietti da visita di Monika.	✓	☐
b.	Per scoprire chi è Monika, l'Ingegnere vuole chiamare un detective.	☐	✓
c.	L'Ingegnere chiede ai suoi uomini di non essere divisi.	✓	☐
d.	L'Ingegnere ha avuto un'idea per scoprire chi è veramente Monika Wolf.	✓	☐

2 • Leggi la battuta e poi riscrivila sostituendo **i biglietti da visita**, e tutte le parole relative, come nell'esempio.

> Durante il ballo, quando **i biglietti da visita sono caduti**, io **li ho presi**, ma lei mi ha dato un bacio, ha strappato **i biglietti** dalle mie mani e li ha **rimessi** velocemente nella sua tasca, così non sono riuscito a **leggerli**.

a. Durante il ballo, quando **le lettere** _sono cadute_ , io _le_ ho _prese_ , ma lei mi ha dato un bacio, ha strappato **le lettere** dalle mie mani e _le_ ha _rimesse_ velocemente nella sua tasca, così non sono riuscito a legger_le_ .

b. Durante il ballo, quando il **messaggio** _è_ _caduto_ , io _lo_ ho _preso_ , ma lei mi ha dato un bacio, ha strappato **il messaggio** dalle mie mani e _lo_ ha _rimesso_ velocemente nella sua tasca, così non sono riuscito a _leggerlo_ .

c. Durante il ballo, quando **la lista** _è_ _caduta_ , io _la_ ho _presa_ , ma lei mi ha dato un bacio, ha strappato **la lista** dalle mie mani e _la_ ha _rimessa_ velocemente nella sua tasca, così non sono riuscito a _leggerla_

3 • Completa il dialogo con le parole della lista.

propria	quale	quella	quello
questa	questa	questa	questo

– Ma per ___quale___ motivo una persona vuole nascondere la
___propria___ identità? Sei sicuro di ___quello___ che hai visto? –
chiede l'Ingegnere.
– No, non è sicuro. – dice Arturo – ___Quella___ donna lo ha baciato e
lui ora è confuso.
– Sono sicuro, sono sicuro.
– Basta, signori! Voi siete dei professionisti, non dei bambini. E poi non
avete mai visto una donna?
– Bella come ___questa___? No, veramente.
– Sentite, ___questo___ è un momento difficile per la nostra fabbrica,
quindi è il momento di stare uniti, non uno contro l'altro. Ci sono
troppi misteri. La telefonata in inglese, le sue strane domande, e poi
___questa___ storia dei biglietti da visita. Voglio sapere di più su
___questa___ donna.

✎ ESERCIZI 16. Un giro di pista

1 • Scegli la frase giusta.

1. L'Ingegnere
   ☐ a. è un po' freddo con Monika.
   ☑ b. dice a Monika che deve
   guidare sotto la pioggia.

2. Durante il giro in macchina
con Giacomino, Monika
   ☑ a. è spaventata.
   ☐ b. resta sempre calma.

3. Durante il giro in macchina
Giacomino
   ☐ a. è nervoso.
   ☑ b. è calmo e sorridente.

4. Giacomino dice a Monika
   ☐ a. che lei è una brava pilota.
   ☑ b. che lei lavora per la Ford.

2 • Ricostruisci le frasi.

a. L'Ingegnere la ⌐3⌐   1. brutto tempo?
b. Ma perché mi dà 4   2. arriva puntuale.
c. Ha visto che ⌐1⌐   3. sta aspettando.
d. Questa volta Monika Wolf 2   4. del Lei?

3 • Completa il dialogo con le parole della lista.

| emozionante | eccellente | posti |

| posto | giro | pronta |

– È _pronta_ per fare una nuova _emozionante_ esperienza sotto la pioggia? Che ne dice di fare un bel _giro_ su una Ferrari GT?
– Mi dispiace, non posso guidare con questa pioggia.
– Ma non deve guidare Lei! Abbiamo il nostro Giacomino, che è un pilota _eccellente_.
– Ma scusi, c'è _posto_ per due?
– Certo. La Ferrari GT non è una Formula 1, infatti ha due _posti_, non lo sa? Vieni Giacomino, porta la signorina Wolf a fare un giro.

4 • Completa il testo con il presente dei verbi.

I due (*salire*) _salgono_ su una bellissima Ferrari, tutta rossa. È una macchina a due posti. (*Mettersi*) _si mettono_ il casco e (*partire*) _partono_. L'auto (*fare*) _fa_ il primo chilometro molto lentamente, poi all'improvviso Giacomino comincia a correre. Monika è nervosa, invece Giacomino (*sorridere*) _sorride_.

– Lo (*sapere*) _so_, Signorina, Lei sta pensando: "perché andiamo così piano?", ma questo è solo un "valzer lento" per riscaldare la macchina, ora cominciamo a correre!

5 • Metti in ordine il dialogo.

    `6` a. E va bene! Dico tutto. Ma per favore, basta Giacomino!

    `4` b. Attento! No, così no, ho paura!

    `3` c. Del signor Ford. Lei lo conosce, vero?

    `1` d. Ora balliamo la mazurka, signorina. Sente che musica questo
         motore Ferrari? Meglio della Ford? Ah già, ma Lei non conosce il
         rumore della Ford, vero? O forse mi sbaglio.

    `2` e. Ma di cosa parla?

    `5` f. Allora, conosce Ford, sì o no? Per chi lavora, signorina? Questa
         volta deve dire la verità. Lei è una spia?

ESERCIZI   17. Un posto di lavoro grandioso

1 • Vero o falso? Rispondi con una X.

	V	F
a. Per l'Ingegnere ogni macchina prodotta alla Ferrari è perfetta.	✓	☐
b. Darryl Ford è il presidente di una famosa casa automobilistica.	☐	✓
c. Mercedes, Renault e Mc Laren hanno già vinto il premio BEST PLACE TO WORK AWARD.	☐	✓
d. A Monika piacerebbe avere un soprannome italiano.	✓	☐

2 • Scegli la parola giusta.

– Allora, Lei signorina Wolf **è/fa/sta** della *Great Place to Work*, di New York?

– Sì, e **sono venuta/ho venuto/sono venuto** per capire come lavorate.
E **devo/so/conosco** dire che voi lavorate bene.

– Ah, ora **so/conosco/capisco** perché non **sa/vuole/conosce** guidare
una F1 e **so/conosco/capisco** anche tutte quelle domande.

– **Siamo stati/Hanno stato/Sono stato** anche alla Mercedes,
alla Renault, alla Mc Laren. Ma **devo/so/conosco** dire che la Ferrari
è l'azienda migliore del mondo. Il primo premio è vostro!

3 • Riscrivi il dialogo con il "Lei" formale, come nell'esempio.

Tu Ha   signora Wolf
– Hai avuto paura, Monika? – chiede l'Ingegnere.
– Sì, moltissima.
               deve   Lei lavora
– Ora devi dire la verità: tu lavori per la Ford!
– Per la Ford?
        Lei riceve
– Sì. Tu ricevi soldi per vendere i segreti della nostra fabbrica, vero?
– Ma che dici?   è   lavora?
– Ah no? E allora perché sei venuta qui? Per chi lavori?
Vuole
– Vuoi la verità? E va bene. Io lavoro per un'agenzia americana, si
chiama *Great Place to Work Institute*.

Lei
– __Ha avuto__ paura, __signorina Wolf__ ? – chiede l'Ingegnere.
– Sì, moltissima.
– Ora ___deve___ dire la verità: __Lei lavora__ per la Ford!
– Per la Ford?
– Sì. __lei riceve___ soldi per vendere i segreti della nostra fabbrica,
vero?
– Ma che ___dice___ ?
– Ah no? E allora perché ___è venuta___ qui? Per chi ___lavora___ ?
– __Vuole l___ la verità? E va bene. Io lavoro per un'agenzia
americana, si chiama *Great Place to Work Institute*.

SOLUZIONI ESERCIZI

1. L'ingegnere
1• V: d; F: a, b, c • 2• ci sono, aspettano, Entra, ha, ha, fanno • 3• Buongiorno, domanda, macchina, giornalisti, esperienza

2. La rossa
1• 1/b; 2/b; 3/b; 4/a • 2• neri, rossa, rossi, alta, bella, elegante • 3• 1/c; 2/b; 3/e; 4/a; 5/d; 6/f • 4• a. testa; b. cuore; c. mani; d. piedi

3. Arturo, detto Squacquerone
1• V: b; F: a, c, d • 2• che, quel, rossa, scusi, nostro, dell' • 3• sta, gridano, hai, parlano, domanda, sono, sembra • 4• giusto, persone, calmi, fine, insieme, aperitivo • 5• a. Qui in Emilia Romagna noi usiamo molto i soprannomi perché ci piace scherzare; b. E qui alla Ferrari siamo come una famiglia

4. In bocca al lupo!
1• 1/a; 2/b; 3/a; 4/a • 2• sporche, quella, alto, alta, alto, pochi, pronta • 3• 1/b; 2/f; 3/c; 4/h; 5/d; 6/a; 7/e; 8/g • 4• si accende, dice, so, so, Sa, deve

5. Il test
1• F: a, b, c, d • 2• entra, aiuta, va, vedo, posso, batte, deve, mi emoziono • 3• accende, fa, si spegne, si muove, ha fatto, ha bruciato, scende

6. La telefonata
1• 1/a; 2/a; 3/a; 4/b • 2• si siede, esce, sente, capisce, esce, aspetta, entra, ha • 3• arrabbiato, Questa, strana, bella, belle, neri, sua

7. Di nuovo in pista
1• V: a, b, c, d • 2• sembra, sto, sono venuta, Viene, c'è, mi sento • 3• 1/c; 2/b; 3/f; 4/d; 5/a; 6/e

8. La giornalista
1• 1/b; 2/b; 3/b; 4/a • 2• a. per, in, alla; b. alla, di, ai, con • 3• è stata, Sono stata, Ha fatto, Ha avuto, È stata, È stata • 4• questa, bella, coraggiosa, rossa, sue, macchine, suo, ufficio, altra, donna

9. L'intervista
1• V: b; F: a, c, d • 2• all', dell', in, nella, dell', nella • 3• 1/a; 2/d; 3/b; 4/e; 5/f; 6/c • 4• Mangiamo,

possiamo, prendiamo, Andiamo, mangio, siamo • 5. a. Monika entra nell'ufficio dell'Ingegnere; b. L'uomo con gli occhiali scuri è seduto alla sua scrivania

10. A pranzo con l'Ingegnere
1. 1/a; 2/b; 3/a; 4/a • 2. è venuta, esiste, ha detto, ho detto, è venuta, vuole, voglio • 3. vuole, posso, Vorrei, devo, so, voglio

11. La Formula Uomo
1. V: a, d; F: b, c • 2. tanti, ogni, alta, Questi, tutti, felici, felice, tutti, contenti, nostra, filosofia

12. Giacomino, detto Tortellino
1. 1/a; 2/b; 3/a; 4/a • 2. una, il, L', le, una, i, le, il

13. La spia
1. V: a, b, c, d • 2. 1/e; 2/c; 3/a; 4/f; 5/d; 6/g; 7/b • 3. Abbiamo parlato, avete parlato, ha domandato, ha risposto, sanno, L'ha vista, ho pensato

14. La balera
1. 1/a; 2/a; 3/b; 4/b • 2. state, vanno, È andata, Ha bevuto, hai, vedo, esce, restano • 3. a/4; b/2; c/1; d/3

15. Nell'ufficio dell'Ingegnere
1. V: a, c, d; F: b • 2. b. Durante il ballo, quando il messaggio **è caduto**, io **l'ho preso**, ma lei mi ha dato un bacio, ha preso il messaggio dalle mie mani e **l'ha rimesso** velocemente nella sua tasca, così non sono riuscito a **leggerlo**; c. Durante il ballo, quando la lista è caduta, io **l'ho presa**, ma lei mi ha dato un bacio, ha preso la lista dalle mie mani e **l'ha rimessa** velocemente nella sua tasca, così non sono riuscito a **leggerla** • 3. quale, propria, quello, Quella, questa, questo, questa, questa

16. Un giro di pista
1. 1/a; 2/a; 3/b; 4/b • 2. a/3; b/4; c/1; d/2 • 3. pronta, emozionante, giro, eccellente, posto, posti • 4. salgono, Si mettono, partono, fa, sorride, so • 5. 1/d; 2/e; 3/c; 4/b; 5/f; 6/a

17. Un posto di lavoro grandioso
1. V: d; F: a, b, c • 2. è, sono venuta, devo, capisco, sa, capisco, Siamo stati, devo • 3. Ha avuto, signorina Wolf, deve, Lei lavora, Lei riceve, dice, è venuta, lavora, Vuole